Romanian Reading Comprehension Texts: Beginners - Book One

Romanian Reading Comprehension Texts for Beginners

Mikkelsen Dubois

Published by Mikkelsen Dubois, 2023.

While every precaution has been taken in the preparation of this book, the publisher assumes no responsibility for errors or omissions, or for damages resulting from the use of the information contained herein.

ROMANIAN READING COMPREHENSION TEXTS: BEGINNERS - BOOK ONE

First edition. May 1, 2023.

Copyright © 2023 Mikkelsen Dubois.

ISBN: 979-8223034407

Written by Mikkelsen Dubois.

Table of Contents

How to Use This Romanian Reading Comprehension Book 1

Text One 5

Text Two 7

Text Three 9

Text Four 11

Text Five 13

Text Six 15

Text Seven 17

Text Eight 19

Text Nine 21

Text Ten 23

Text Eleven 25

Text Twelve 27

Text Thirteen 29

Text Fourteen 31

Text Fifteen 33

Text Sixteen 35

Text Seventeen 37

Text Eighteen 39

Text Nineteen 41

Text Twenty 43

Text Twenty One 45

Text Twenty Two 47

Text Twenty Three 49

Text Twenty Four 51

Text Twenty Five 53

Text Twenty Six 55

Text Twenty Seven 57

Text Twenty Eight 59

Text Twenty Nine 61

Text Thirty 63

How to Use This Romanian Reading Comprehension Book

———

Step 1: Choose the Right Text Level

The first step in doing a Romanian reading comprehension exercise is to choose the right text level. The text should be appropriate for the learner's level and interests. For beginners, texts with simpler vocabulary and shorter sentences are ideal. For more advanced learners, more complex texts can be used. Mikkelsen Dubois offers Romanian Reading Comprehension Texts in different levels - beginner, intermediate and advanced, as well as First Steps for new language learners. It's also important to choose a text that is interesting to the learner. This can help to keep them engaged and motivated, which is crucial for language learning success. Texts on topics like history, culture, and current events can be particularly engaging for learners. Every Mikkelsen Dubois Reading Comprehension Book contains texts on a variety of different topics.

Step 2: Read the Text

Once a suitable text has been chosen, the learner should read it carefully. They should focus on understanding the meaning of the text and how the words and phrases are used in sentences. It's also important to pay attention to the structure of the sentences and the use of grammar. When reading the text, learners should try to read as much as they can without stopping to look up words in a dictionary. This can help to improve their overall comprehension skills and develop their ability to understand the text in context.

Step 3: Analyze the Text

After reading the text, the learner should analyze it to deepen their understanding. This involves paying attention to the structure of the sentences, the use of grammar, and the context in which words are used. Learners can ask themselves questions about the text to help them analyze it more deeply.

For example, they could ask themselves:

What is the main idea of the text?

What is the purpose of the text?

What is the tone of the text?

What new words or phrases have I learned from the text?

What new grammar structures have I learned from the text?

By analyzing the text in this way, learners can develop a more comprehensive understanding of the text and improve their comprehension skills. Making a note of new vocabulary, grammar and sentence structure will help the learner in this analysis and support the learning process.

Step 4: Answer the Questions

The next step in doing a Romanian reading comprehension exercise is to answer the questions. In every Mikkelsen Dubois Romanian Comprehension Book, questions are provided with the text. These questions are designed to test the learner's understanding of the text and their ability to apply their knowledge of Romanian vocabulary and grammar. Learners should answer the questions as thoroughly and accurately as possible, using their knowledge of Romanian vocabulary and grammar.

Step 5: Check Answers

After answering the questions, the learner should check their answers. This involves reviewing their responses and ensuring that they are accurate and complete. If the learner has made mistakes, they should try to identify the areas where they need to improve their understanding. This could involve reviewing specific vocabulary or grammar structures or practicing their comprehension skills with more texts.

Step 6: Review and Practice

The final step in doing a Romanian reading comprehension exercise is to review and practice. This involves reviewing the text and the questions and identifying areas for improvement. Learners should use the reading comprehension exercise as a learning tool to improve their comprehension skills and develop their knowledge of Romanian vocabulary and grammar. By regularly practicing with different types of texts and using strategies like taking notes, analyzing the text, and asking questions, learners can improve their comprehension skills more quickly.

Text One

Read the following Romanian comprehension text carefully.

Then answer the questions using the information provided in the text.

Try to answer in full sentences and pay attention to your spelling and grammar.

Once you have answered all the questions, check your answers with the suggested answers.

<u>Excursie la Muntele Bucegi</u>

În acest weekend, eu și familia mea am decis să facem o excursie la Muntele Bucegi. Am plecat devreme dimineața și am condus timp de câteva ore până am ajuns la stațiunea montană unde urma să înceapă aventura noastră. Am pornit în drumeție, încercând să urmăm traseul marcat, iar pe drum am întâlnit mulți alți turiști care făceau același lucru.

Am mers prin pădure, am trecut pe lângă cascade și am admirat priveliștea spectaculoasă a munților. La un moment dat, am ajuns la o pajiște largă, unde ne-am oprit să ne odihnim și să ne bucurăm de un picnic delicios.

După ce am savurat mâncarea și am făcut o scurtă pauză, am continuat să urcăm spre vârful muntelui. A fost o ascensiune destul de dificilă, dar a meritat efortul, deoarece pe vârf am avut parte de o priveliște incredibilă a întregii zone.

Am petrecut câteva ore acolo sus, apoi am coborât în siguranță și ne-am întors la stațiunea montană. A fost o experiență minunată, plină de aventuri și momente frumoase alături de familie.

Questions

1. Unde am decis să mergem în acest weekend?
2. Unde ne-am oprit să ne odihnim și să mâncăm?
3. Cum a fost urcarea spre vârful muntelui?

Answers

1. Am decis să mergem la Muntele Bucegi.
2. Ne-am oprit pe o pajiște largă, unde am făcut un picnic.
3. A fost o ascensiune destul de dificilă.

Text Two

———

Read the following Romanian comprehension text carefully.

Then answer the questions using the information provided in the text.

Try to answer in full sentences and pay attention to your spelling and grammar.

Once you have answered all the questions, check your answers with the suggested answers.

O zi la plajă

Astăzi este o zi frumoasă de vară, aşa că am decis să mergem la plajă. Am împachetat prosoapele, umbrela şi cremele de protecţie solară şi am plecat cu maşina. După o călătorie de aproximativ o oră, am ajuns la plajă.

Am găsit un loc frumos pe plajă şi am întins prosoapele. Ne-am îmbrăcat în costume de baie şi am început să ne bucurăm de soare şi de mare. Am făcut o baie răcoritoare şi ne-am jucat cu mingea pe plajă.

După ce am petrecut câteva ore la plajă, am început să ne simţim obosiţi şi flămânzi. Am făcut un picnic delicios pe plajă şi am savurat mâncarea împreună.

Am petrecut întreaga zi la plajă şi ne-am întors acasă cu pielea bronzată şi cu amintiri frumoase.

Questions

1. Ce vreme a fost astăzi?
2. Unde ați decis să mergeți?
3. Ce ați luat cu voi?
4. Ce ați făcut la plajă?
5. Ce ați făcut când v-ați simțit obosiți și flămânzi?
6. Cât timp ați petrecut la plajă?

Answers

1. Astăzi a fost o zi frumoasă de vară.
2. Am decis să mergem la plajă.
3. Am luat cu noi prosoapele, umbrela și cremele de protecție solară.
4. Am făcut o baie răcoritoare și ne-am jucat cu mingea pe plajă.
5. Am făcut un picnic delicios pe plajă și am savurat mâncarea împreună.
6. Am petrecut întreaga zi la plajă.

Text Three

———

Read the following Romanian comprehension text carefully.

Then answer the questions using the information provided in the text.

Try to answer in full sentences and pay attention to your spelling and grammar.

Once you have answered all the questions, check your answers with the suggested answers.

<u>Ziua mea de naştere</u>

Astăzi este ziua mea de naştere şi mă simt foarte fericit. Am primit multe urări de la prieteni şi familie. De dimineaţă, am primit un cadou frumos de la părinţii mei: un nou laptop.

După micul dejun, am ieşit cu prietenii mei la un parc de distracţii. Am mers cu montagne-russe şi cu roata mare şi ne-am distrat foarte mult împreună. Apoi, am mers la o pizzerie unde am savurat o pizza delicioasă.

Înainte de a mă întoarce acasă, am mers la cofetărie şi am ales un tort frumos pentru a-l împărţi cu familia mea. Am suflat lumânările şi am tăiat tortul. A fost o zi minunată de naştere şi sunt recunoscător pentru toate urările şi cadourile pe care le-am primit.

Questions

1. Ce eveniment este astăzi?
2. Ce cadou ai primit de dimineaţă?
3. Unde ai mers cu prietenii tăi?
4. Ce activităţi ai făcut în parc?
5. Unde aţi mâncat?
6. Ce ai ales de la cofetărie?
7. Ce ai făcut acasă?

Answers

1. Astăzi este ziua mea de naştere.
2. Am primit un nou laptop de la părinţii mei.
3. Am mers cu prietenii mei la un parc de distracţii.
4. Am mers cu montagne-russe şi cu roata mare şi ne-am distrat foarte mult împreună.
5. Am mâncat la o pizzerie.
6. Am ales un tort frumos de la cofetărie.
7. Acasă am tăiat tortul împreună cu familia mea.

Text Four

Read the following Romanian comprehension text carefully.

Then answer the questions using the information provided in the text.

Try to answer in full sentences and pay attention to your spelling and grammar.

Once you have answered all the questions, check your answers with the suggested answers.

Cumpărături la supermarket

Astăzi am decis să mergem la supermarket pentru a face cumpărături pentru săptămâna viitoare. Am făcut o listă cu toate produsele de care aveam nevoie şi am plecat la magazin. Am început să umplem coşul cu fructe, legume, carne şi lactate.

După ce am cumpărat toate produsele necesare, am mers la casa de marcat pentru a plăti. Am folosit cardul bancar pentru a plăti şi am primit chitanţa. Apoi, am împachetat toate cumpărăturile în sacoşe şi am plecat spre maşină.

Am ajuns acasă şi am descărcat cumpărăturile. Am pus alimentele în frigider şi în dulapuri. Acum suntem pregătiţi pentru săptămâna viitoare!

Questions

1. Ce ați decis să faceți astăzi?
2. Ce ați făcut înainte de a merge la magazin?
3. Ce produse ați cumpărat?
4. Cum ați plătit la casa de marcat?
5. Ce ați făcut după ce ați plătit?
6. Unde ați pus alimentele?

Answers

1. Astăzi am decis să mergem la supermarket pentru a face cumpărături pentru săptămâna viitoare.
2. Am făcut o listă cu toate produsele de care aveam nevoie.
3. Am cumpărat fructe, legume, carne și lactate.
4. Am plătit cu cardul bancar și am primit chitanța.
5. Am împachetat cumpărăturile în sacoșe și am plecat spre mașină.
6. Am pus alimentele în frigider și în dulapuri.

Text Five

———

Read the following Romanian comprehension text carefully.

Then answer the questions using the information provided in the text.

Try to answer in full sentences and pay attention to your spelling and grammar.

Once you have answered all the questions, check your answers with the suggested answers.

Activități de vară

Vara este anotimpul meu preferat și îmi place să petrec mult timp afară. În timpul verii, îmi place să merg la plajă, să înot și să joc volei pe plajă cu prietenii mei.

Îmi place, de asemenea, să merg la picnicuri și să fac grătar în parc. În weekend-uri, îmi place să fac plimbări cu bicicleta și să explorez noile trasee.

De asemenea, îmi place să merg la concerte în aer liber și la festivaluri de muzică în timpul verii. Îmi place să ascult muzică și să dansez cu prietenii mei sub cerul înstelat.

În general, vara este un timp minunat pentru a face activități în aer liber și a te bucura de soare și de căldură.

Questions

1. Ce joci cu prietenii tăi pe plajă?
2. Unde îți place să faci grătar?
3. Ce faci în weekend-uri?
4. Unde mergi pentru a asculta muzică în aer liber?

Answers

1. Îmi place să joc volei pe plajă cu prietenii mei.
2. Îmi place să fac grătar în parc.
3. Îmi place să fac plimbări cu bicicleta și să explorez noile trasee.
4. Merg la concerte în aer liber și festivaluri de muzică pentru a asculta muzică.

Text Six

———

Read the following Romanian comprehension text carefully.

Then answer the questions using the information provided in the text.

Try to answer in full sentences and pay attention to your spelling and grammar.

Once you have answered all the questions, check your answers with the suggested answers.

Descoperă Bucureștiul

Bucureștiul este capitala României și este un oraș plin de istorie și cultură. Orașul are multe atracții turistice, inclusiv muzee, palate și parcuri.

Unul dintre cele mai populare obiective turistice din București este Palatul Parlamentului, care este cel mai mare clădire administrativă din lume. De asemenea, Palatul Cotroceni este o altă atracție populară, care găzduiește muzeul președinților români.

Pentru cei interesați de artă, Muzeul Național de Artă al României este un must-see. Aici veți găsi o colecție impresionantă de artă românească și europeană.

În plus, Bucureștiul are multe parcuri frumoase, inclusiv Parcul Herăstrău și Parcul Cișmigiu. Acestea sunt locuri perfecte pentru a te relaxa și a te bucura de frumusețea naturii.

Questions

1. Care este capitala României?
2. Ce este Palatul Parlamentului și unde se află?
3. Ce este Palatul Cotroceni?
4. Ce găsiți la Muzeul Național de Artă al României?
5. Ce parcuri sunt populare în București?

Answers

1. Capitala României este Bucureștiul.
2. Palatul Parlamentului este cel mai mare clădire administrativă din lume și se află în București.
3. Palatul Cotroceni este un muzeu care găzduiește expoziții despre președinții români.
4. La Muzeul Național de Artă al României veți găsi o colecție impresionantă de artă românească și europeană.
5. Parcul Herăstrău și Parcul Cișmigiu sunt parcuri populare în București.

Text Seven

———

Read the following Romanian comprehension text carefully.

Then answer the questions using the information provided in the text.

Try to answer in full sentences and pay attention to your spelling and grammar.

Once you have answered all the questions, check your answers with the suggested answers.

<u>Descoperă Transilvania</u>

Transilvania este o regiune din România, situată în centrul țării, și este cunoscută pentru peisajele sale frumoase și istoria sa bogată. Regiunea are multe castele și cetăți vechi, care sunt adesea legate de legende și mituri.

Cetatea Bran, cunoscută și sub numele de Castelul lui Dracula, este una dintre cele mai populare atracții turistice din Transilvania. Acest castel este asociat cu legenda lui Dracula și este situat la poalele Munților Carpați.

De asemenea, Transilvania are multe orașe istorice, inclusiv Sibiu și Brașov, care sunt renumite pentru piețele lor frumoase și arhitectura istorică.

Questions

1. Ce este Transilvania?
2. Care este cel mai popular castel din Transilvania?
3. Ce legenda este asociată cu Castelul Bran?
4. Ce orașe istorice puteți vizita în Transilvania?
5. De ce sunt renumite Sibiu și Brașov?

Answers

1. Transilvania este o regiune din România, situată în centrul țării.
2. Cel mai popular castel din Transilvania este Cetatea Bran, cunoscut și sub numele de Castelul lui Dracula.
3. Castelul Bran este asociat cu legenda lui Dracula.
4. În Transilvania puteți vizita orașele istorice Sibiu și Brașov.
5. Sibiu și Brașov sunt renumite pentru piețele lor frumoase și arhitectura istorică.

Text Eight

———

Read the following Romanian comprehension text carefully.

Then answer the questions using the information provided in the text.

Try to answer in full sentences and pay attention to your spelling and grammar.

Once you have answered all the questions, check your answers with the suggested answers.

Descoperă tradiţia Sânzienelor

Sânziana este o sărbătoare tradiţională românească care se sărbătoreşte în noaptea de 23 spre 24 iunie. Această sărbătoare are o semnificaţie puternică pentru cultura românească şi este asociată cu legende despre fete frumoase şi cu flori.

Sânziana este sărbătorită în diferite moduri în întreaga ţară. În unele regiuni, se organizează baluri şi parade în stradă, iar în altele se cântă şi se dansează. În general, aceasta este o sărbătoare plină de bucurie şi entuziasm.

Tradiţia spune că dacă găsiţi flori de sânziene în noaptea de Sânziene, acestea vă vor aduce noroc şi fericire. De asemenea, se spune că dacă vă scăldaţi într-un râu în noaptea de Sânziene, veţi fi sănătoşi tot anul.

Questions

1. Când se sărbătoreşte Sânziana?
2. Ce este Sânziana?
3. Ce se spune despre găsirea florilor de sânziene?
4. Ce se spune despre scăldatul într-un râu în noaptea de Sânziene?

Answers

1. Sânziana este sărbătorită în noaptea de 23 spre 24 iunie.
2. Sânziana este o sărbătoare tradiţională românească.
3. Se spune că găsirea florilor de sânziene în noaptea de Sânziene vă va aduce noroc şi fericire.
4. Se spune că scăldatul într-un râu în noaptea de Sânziene vă va aduce sănătate tot anul.

Text Nine

Read the following Romanian comprehension text carefully.

Then answer the questions using the information provided in the text.

Try to answer in full sentences and pay attention to your spelling and grammar.

Once you have answered all the questions, check your answers with the suggested answers.

Maşinile electrice

Maşinile electrice sunt tot mai populare în întreaga lume datorită impactului redus asupra mediului şi costurilor mai mici pe termen lung. Acestea funcţionează cu energie electrică stocată într-un acumulator şi sunt mai silenţioase şi mai eficiente decât maşinile cu motor cu combustie internă.

În plus, maşinile electrice nu emit emisii poluante, ceea ce le face o alegere bună pentru cei care doresc să reducă amprenta lor de carbon. De asemenea, multe oraşe încurajează utilizarea maşinilor electrice prin oferirea de staţii de încărcare şi tarife reduse de parcare.

Cu toate acestea, costul iniţial al achiziţionării unei maşini electrice poate fi mai mare decât cel al unei maşini cu motor cu combustie internă, iar reţeaua de staţii de încărcare poate fi limitată în unele zone.

Questions

1. De ce sunt mașinile electrice mai bune decât mașinile cu motor cu combustie internă?
2. Ce fac orașele pentru a încuraja utilizarea mașinilor electrice?
3. Care sunt dezavantajele utilizării mașinilor electrice?

Answers

1. Mașinile electrice sunt mai bune decât cele cu motor cu combustie internă deoarece sunt mai silențioase, mai eficiente și nu emit emisii poluante.
2. Orașele încurajează utilizarea mașinilor electrice prin oferirea de stații de încărcare și tarife reduse de parcare.
3. Dezavantajele utilizării mașinilor electrice includ costul inițial mai mare și limitările rețelei de stații de încărcare în unele zone.

Text Ten

Read the following Romanian comprehension text carefully.

Then answer the questions using the information provided in the text.

Try to answer in full sentences and pay attention to your spelling and grammar.

Once you have answered all the questions, check your answers with the suggested answers.

Descoperă tradiția Mucenicilor

Mucenicii sunt un desert tradițional românesc, care se sărbătorește pe data de 9 martie în fiecare an. Acești biscuiți în formă de opt sunt făcuți din făină, nucă, scorțișoară și stafide, iar apoi sunt îmbibați în sirop de miere și nucă.

Tradiția mucenicilor are origini într-o poveste despre 40 de martiri creștini, care și-au dat viața pentru credința lor. Mucenicii sunt considerați un simbol al acestor martiri și se sărbătoresc în cinstea lor.

În ziua de 9 martie, oamenii din România mănâncă mucenici și îi oferă celor dragi. Uneori, oamenii le oferă și vecinilor sau prietenilor. Mucenicii sunt adesea acompaniați de vin roșu sau de un pahar de apă.

Questions

1. Ce sunt mucenicii?
2. Când se sărbătoresc mucenicii în România?
3. Ce este tradiția mucenicilor?
4. Ce se întâmplă în ziua de 9 martie în România?

Answers

1. Mucenicii sunt un desert tradițional românesc, făcut din făină, nucă, scorțișoară și stafide.
2. Mucenicii se sărbătoresc pe data de 9 martie în fiecare an în România.
3. Tradiția mucenicilor are origini într-o poveste despre 40 de martiri creștini.
4. În ziua de 9 martie, oamenii din România mănâncă mucenici și îi oferă celor dragi.

Text Eleven

———

Read the following Romanian comprehension text carefully.

Then answer the questions using the information provided in the text.

Try to answer in full sentences and pay attention to your spelling and grammar.

Once you have answered all the questions, check your answers with the suggested answers.

<u>Descoperă Marea Neagră</u>

Marea Neagră este o mare interioară situată între Europa şi Asia, cu o istorie bogată şi o faună şi floră diversă. În zona Mării Negre există multe staţiuni turistice populare, care atrag turişti din întreaga lume.

Cele mai populare destinaţii turistice de pe coasta Mării Negre sunt staţiunile Mamaia şi Vama Veche. Mamaia este o staţiune modernă, cu hoteluri de lux, cluburi şi restaurante, în timp ce Vama Veche este o staţiune mai mică şi mai rustică, populară printre tineri şi hippie.

Marea Neagră este şi locul ideal pentru sporturi nautice, cum ar fi kitesurfingul, windsurfingul şi navigaţia. Există multe şcoli şi centre de închiriere echipament în zona costieră.

Questions

1. Unde se află Marea Neagră?
2. Ce stațiuni turistice sunt cele mai populare pe coasta Mării Negre?
3. Ce sporturi nautice se pot practica în Marea Neagră?

Answers

1. Marea Neagră este o mare interioară situată între Europa și Asia.
2. Cele mai populare stațiuni turistice de pe coasta Mării Negre sunt Mamaia și Vama Veche.
3. În Marea Neagră se pot practica sporturi nautice, cum ar fi kitesurfingul, windsurfingul și navigația.

Text Twelve

———

Read the following Romanian comprehension text carefully.

Then answer the questions using the information provided in the text.

Try to answer in full sentences and pay attention to your spelling and grammar.

Once you have answered all the questions, check your answers with the suggested answers.

<u>Toamna în România</u>

Toamna este un anotimp minunat în România, când frunzele copacilor își schimbă culorile și pot fi văzute peisaje spectaculoase. De asemenea, toamna este sezonul recoltelor, iar piețele sunt pline de fructe și legume proaspete.

În plus, toamna este momentul perfect pentru a merge în excursii în natură și a admira priveliștile pitorești ale munților și pădurilor. Există multe trasee de drumeții și cățărare care pot fi parcurs în această perioadă.

De asemenea, există multe festivaluri și evenimente culturale care au loc în această perioadă. Festivalul de Film de la Brașov și Festivalul Național de Teatru sunt doar două exemple.

Questions

1. Care este sezonul în care frunzele copacilor își schimbă culorile în
   România?
2. Ce se găsește pe piețele din România în timpul toamnei?
3. Ce poți face în timpul toamnei în natură?
4. Ce festivaluri și evenimente culturale au loc în toamna din România?

Answers

1. Toamna este sezonul în care frunzele copacilor își schimbă culorile în
   România.
2. Pe piețele din România în timpul toamnei se găsesc fructe și legume
   proaspete.
3. În timpul toamnei în România poți merge în excursii în natură și admira
   priveliștile pitorești ale munților și pădurilor.
4. În toamna din România au loc festivaluri și evenimente culturale
   precum Festivalul de Film de la Brașov și Festivalul Național de Teatru.

Text Thirteen

———

Read the following Romanian comprehension text carefully.

Then answer the questions using the information provided in the text.

Try to answer in full sentences and pay attention to your spelling and grammar.

Once you have answered all the questions, check your answers with the suggested answers.

Descoperă Sarmalele - Mâncarea tradițională românească

Sarmalele sunt un fel de mâncare tradițional românesc, care constau în foi de varză sau de viță de vie umplute cu o amestecare de carne tocată, orez și condimente. Sunt apoi fierte într-un sos de roșii și servite adesea alături de smântână și mămăligă.

Această mâncare delicioasă este foarte populară în România și face parte din tradiția culinară a țării. Sarmalele sunt adesea servite la mese festive, cum ar fi Crăciunul și Revelionul.

Questions

1. Ce sunt sarmalele?
2. Din ce sunt umplute sarmalele?
3. Cum sunt servite sarmalele?

Answers

1. Sarmalele sunt un fel de mâncare tradițional românesc, care constau în foi de varză sau de viță de vie umplute cu o amestecare de carne tocată, orez și condimente.
2. Sarmalele sunt umplute cu o amestecare de carne tocată, orez și condimente.
3. Sarmalele sunt servite adesea alături de smântână și mămăligă.

Text Fourteen

———

Read the following Romanian comprehension text carefully.

Then answer the questions using the information provided in the text.

Try to answer in full sentences and pay attention to your spelling and grammar.

Once you have answered all the questions, check your answers with the suggested answers.

Ziua Limbii Române

Ziua Limbii Române este sărbătorită pe 31 august, pentru a comemora nașterea poetului național al României, Mihai Eminescu. Această sărbătoare a fost instituită pentru a promova și a păstra limba română, un element important al identității naționale.

Limba română este una dintre cele mai vechi limbi romanice și este vorbită nu doar în România, ci și în Republica Moldova și în unele părți ale Ucrainei și Serbiei.

În această zi, sunt organizate evenimente culturale și educative pentru a celebra limba română și pentru a-i încuraja pe oameni să o folosească în mod corespunzător. Printre aceste evenimente se numără expoziții, conferințe și concursuri de poezie.

Questions

1. Ce sărbătorim pe 31 august?
2. Cine este Mihai Eminescu?
3. Ce este limba română?
4. Unde este vorbită limba română?
5. Ce tipuri de evenimente sunt organizate în Ziua Limbii Române?

Answers

1. Pe 31 august sărbătorim Ziua Limbii Române.
2. Mihai Eminescu este poetul național al României, al cărui naștere este comemorată în Ziua Limbii Române.
3. Limba română este o limbă romanică, una dintre cele mai vechi limbi ale acestui grup.
4. Limba română este vorbită în România, Republica Moldova și în unele părți ale Ucrainei și Serbiei.
5. În Ziua Limbii Române sunt organizate expoziții, conferințe și concursuri de poezie pentru a promova și a celebra limba română.

Text Fifteen

—————

Read the following Romanian comprehension text carefully.

Then answer the questions using the information provided in the text.

Try to answer in full sentences and pay attention to your spelling and grammar.

Once you have answered all the questions, check your answers with the suggested answers.

<u>Tradiția Sorcovei în România</u>

Sorcova este o tradiție românească veche de sute de ani, care se sărbătorește în prima zi a anului. În această zi, oamenii își vizitează rudele, prietenii și vecinii, purtând cu ei o sorcovă.

Sorcova este un fel de baston decorat cu flori și panglici colorate, care se folosește pentru a ura celor vizitați un an nou fericit și prosper. De obicei, în timpul sorcovei, oamenii cântă cântece tradiționale și se oferă și mici daruri, cum ar fi bomboane sau fructe uscate.

În unele părți ale țării, sorcova este asociată cu tradiții religioase, cum ar fi botezul lui Iisus în Iordan.

Questions

1. Ce este sorcova?
2. Când se sărbătoreşte sorcova?
3. Ce este sorcova decorată cu?
4. Ce tradiţii religioase sunt asociate cu sorcova?

Answers

1. Sorcova este un fel de baston decorat cu flori şi panglici colorate, folosit pentru a ura un an nou fericit şi prosper celor vizitaţi.
2. Sorcova se sărbătoreşte în prima zi a anului.
3. Sorcova este decorată cu flori şi panglici colorate.
4. În unele părţi ale ţării, sorcova este asociată cu tradiţii religioase, cum ar fi botezul lui Iisus în Iordan.

Text Sixteen

───────

Read the following Romanian comprehension text carefully.

Then answer the questions using the information provided in the text.

Try to answer in full sentences and pay attention to your spelling and grammar.

Once you have answered all the questions, check your answers with the suggested answers.

<u>Cunoaște balaurul</u>

Balaurul este o creatură mitologică care apare în multe povești și legende din întreaga lume. În cultura românească, balaurii sunt adesea descriși ca fiind creaturi cu aripi, cozi lungi și capete cu mai multe guri și dinți ascuțiți.

În multe povești, balaurii sunt adesea văzuți ca fiind răi și periculoși, iar eroii trebuie să lupte cu ei pentru a salva oamenii și regatele. În unele povești, balaurii sunt însă descrise ca fiind buni și de ajutor pentru eroi.

Chiar dacă balaurii nu există în realitate, ei continuă să fie o sursă de fascinație pentru mulți oameni și continuă să apară în cărți, filme și jocuri video.

Questions

1. Ce este un balaur?
2. Cum sunt descriși balaurii în cultura românească?
3. Sunt balaurii adesea văzuți ca fiind răi sau buni în povești?

Answers

1. Un balaur este o creatură mitologică.
2. Balaurii sunt descriși ca fiind creaturi cu aripi, cozi lungi și capete cu mai multe guri și dinți ascuțiți în cultura românească.
3. Balaurii pot fi văzuți ca fiind răi sau buni în povești.

Text Seventeen

———

Read the following Romanian comprehension text carefully.

Then answer the questions using the information provided in the text.

Try to answer in full sentences and pay attention to your spelling and grammar.

Once you have answered all the questions, check your answers with the suggested answers.

Sărbătoriți Dragobetele, Ziua Îndrăgostiților Românească

Dragobetele este o sărbătoare tradițională românească care se sărbătorește pe 24 februarie, fiind cunoscută și sub numele de Ziua Îndrăgostiților Românească. Este o sărbătoare a iubirii și a primăverii, care este încă celebrată în multe zone ale țării.

În ziua de Dragobete, tinerii și cuplurile își declară dragostea unul pentru celălalt și își fac cadouri speciale. De asemenea, se crede că dacă o fată își pune sub pernă o floare de mărțișor în noaptea de Dragobete, își va găsi sufletul pereche în curând.

Tradiția spune că în ziua de Dragobete nu trebuie să fii supărat sau mâhnit, ci să te bucuri de iubirea și prietenia celor din jur. De asemenea, se organizează diverse activități și jocuri tradiționale, precum săritul peste foc sau plimbarea prin pădure.

Questions

1. Când se sărbătoreşte Dragobetele?
2. Ce se sărbătoreşte în ziua de Dragobete?
3. Ce tradiţie există pentru fete în noaptea de Dragobete?
4. Ce trebuie să faci în ziua de Dragobete?
5. Ce activităţi tradiţionale se organizează în ziua de Dragobete?

Answers

1. Dragobetele se sărbătoreşte pe 24 februarie.
2. În ziua de Dragobete se sărbătoreşte iubirea şi primăvara.
3. În noaptea de Dragobete, fetele îşi pun sub pernă o floare de mărţişor pentru a-şi găsi sufletul pereche.
4. În ziua de Dragobete trebuie să te bucuri de iubirea şi prietenia celor din jur şi să nu fii supărat sau mâhnit.
5. În ziua de Dragobete se organizează diverse activităţi tradiţionale, precum săritul peste foc sau plimbarea prin pădure.

Text Eighteen

———

Read the following Romanian comprehension text carefully.

Then answer the questions using the information provided in the text.

Try to answer in full sentences and pay attention to your spelling and grammar.

Once you have answered all the questions, check your answers with the suggested answers.

<u>Viața în România</u>

România este o țară frumoasă situată în Europa de Est, cu o populație diversă și o cultură bogată. Oamenii din România sunt cunoscuți pentru ospitalitatea lor și pentru mâncarea delicioasă.

În România, mulți oameni încă mai practică tradițiile și obiceiurile vechi. Unele dintre acestea includ dansuri populare, îmbrăcăminte tradițională și mâncare de sezon.

De asemenea, România are o istorie bogată și o arhitectură impresionantă. Există multe castele și biserici vechi care sunt încă în picioare astăzi și care atrag turiști din întreaga lume.

Questions

1. Unde se află România?
2. Cum sunt oamenii din România cunoscuți?
3. Ce tradiții și obiceiuri vechi încă se practică în România?

Answers

1. România este situată în Europa de Est.
2. Oamenii din România sunt cunoscuți pentru ospitalitatea lor și pentru mâncarea delicioasă.
3. În România încă se practică tradiții precum dansuri populare, îmbrăcăminte tradițională și mâncare de sezon.

Text Nineteen

———

Read the following Romanian comprehension text carefully.

Then answer the questions using the information provided in the text.

Try to answer in full sentences and pay attention to your spelling and grammar.

Once you have answered all the questions, check your answers with the suggested answers.

Descoperă Delta Dunării

Delta Dunării este o zonă naturală protejată situată în sud-estul României. Este cel mai mare și cel mai bine conservat delta de pe continentul european și este o destinație populară pentru turiștii care iubesc natura și observarea păsărilor.

Delta Dunării este acasă pentru peste 300 de specii de păsări și multe alte animale, inclusiv lei de mare și vidre. Aici puteți face excursii cu barca și puteți admira peisajele unice ale deltei.

Pe lângă explorarea naturii, există și multe alte activități care pot fi făcute în Delta Dunării. De exemplu, puteți vizita satele tradiționale din jurul deltei și puteți gusta mâncărurile locale delicioase.

Questions

1. Unde se află Delta Dunării?
2. Câte specii de păsări trăiesc în Delta Dunării?
3. Ce alte animale puteți găsi în Delta Dunării?
4. Ce alte activități puteți face în Delta Dunării?

Answers

1. Delta Dunării se află în sud-estul României.
2. În Delta Dunării trăiesc peste 300 de specii de păsări.
3. În Delta Dunării puteți găsi și lei de mare și vidre.
4. În Delta Dunării puteți face excursii cu barca, vizita satele tradiționale și gusta mâncărurile locale delicioase.

Text Twenty

―――――

Read the following Romanian comprehension text carefully.

Then answer the questions using the information provided in the text.

Try to answer in full sentences and pay attention to your spelling and grammar.

Once you have answered all the questions, check your answers with the suggested answers.

<u>Descoperă tradiția mărțișorului</u>

Mărțișorul este o tradiție românească veche de secole, care se sărbătorește în fiecare an pe 1 martie. Mărțișorul este o mărgele de culoare roșie și albă, care este purtată ca simbol al primăverii și al reînnoirii.

Tradiția spune că mărțișorul trebuie să fie purtat timp de o lună, iar când se schimbă luna, se atârnă mărțișorul într-un copac sau într-un loc special. Există și alte tradiții legate de mărțișor, cum ar fi oferirea de mărțișoare cadou persoanelor dragi.

Mărțișorul este o tradiție care se păstrează și în prezent în România, fiind un moment important pentru a celebra sosirea primăverii.

Questions

1. Ce este mărţişorul?
2. Când se sărbătoreşte mărţişorul?
3. Ce simbolizează mărţişorul?
4. Cât timp trebuie purtat mărţişorul?
5. Ce alte tradiţii sunt legate de mărţişor?

Answers

1. Mărţişorul este o mărgea de culoare roşie şi albă, purtată ca simbol al primăverii şi al reînnoirii.
2. Mărţişorul se sărbătoreşte în fiecare an pe 1 martie.
3. Mărţişorul simbolizează sosirea primăverii şi al reînnoirii.
4. Tradiţia spune că mărţişorul trebuie purtat timp de o lună.
5. Alte tradiţii legate de mărţişor includ oferirea de mărţişoare cadou persoanelor dragi şi atârnarea mărţişorului într-un copac sau într-un loc special la schimbarea lunii.

Text Twenty One

———

Read the following Romanian comprehension text carefully.

Then answer the questions using the information provided in the text.

Try to answer in full sentences and pay attention to your spelling and grammar.

Once you have answered all the questions, check your answers with the suggested answers.

Obiective turistice din Cluj-Napoca

Cluj-Napoca este unul dintre cele mai frumoase orașe din România și are multe obiective turistice interesante de vizitat. În centrul orașului se află Piața Unirii, care este o zonă populară printre turiști. Aici veți găsi Catedrala Sfântul Mihail și Muzeul de Artă din Cluj-Napoca.

O altă atracție populară este Parcul Central, un loc frumos pentru plimbări sau pentru o după-amiază relaxantă. Dacă sunteți pasionați de istorie, atunci puteți vizita Muzeul Etnografic al Transilvaniei sau Cetatea Dejului.

De asemenea, Cluj-Napoca este cunoscut pentru universitatea sa, care este una dintre cele mai vechi și mai importante din România. Universitatea Babeș-Bolyai are un campus mare și o bibliotecă impresionantă, care este deschisă și pentru vizitatori.

Questions

1. Care este centrul oraşului Cluj-Napoca?
2. Ce se află în Piaţa Unirii?
3. Ce poţi vizita dacă eşti pasionat de istorie?
4. Ce este Universitatea Babeş-Bolyai?

Answers

1. Centrul oraşului Cluj-Napoca este Piaţa Unirii.
2. În Piaţa Unirii se află Catedrala Sfântul Mihail şi Muzeul de Artă din Cluj-Napoca.
3. Dacă eşti pasionat de istorie, poţi vizita Muzeul Etnografic al Transilvaniei sau Cetatea Dejului.
4. Universitatea Babeş-Bolyai este una dintre cele mai vechi şi mai importante universităţi din România, cu un campus mare şi o bibliotecă impresionantă.

Text Twenty Two

———

Read the following Romanian comprehension text carefully.

Then answer the questions using the information provided in the text.

Try to answer in full sentences and pay attention to your spelling and grammar.

Once you have answered all the questions, check your answers with the suggested answers.

<u>Descoperă Babele</u>

Babele este o formațiune stâncoasă situată în Munții Bucegi, la o altitudine de aproximativ 2200 de metri. Este un obiectiv turistic popular datorită formei unice a rocilor, care arată ca niște capete de bătrâni.

Pentru a ajunge la Babele, trebuie să parcurgi o drumeție de aproximativ 2-3 ore din apropierea orașului Bușteni. Pe parcursul drumeției, veți vedea peisaje uimitoare ale Munților Bucegi și veți ajunge la o zonă unde veți putea admira formațiunea stâncoasă.

În apropiere de Babele se află și altă atracție turistică populară - Peștera Ialomiței, care este una dintre cele mai mari peșteri din România.

Questions

1. Unde se află Babele?
2. Care este formațiunea stâncoasă specifică Babele?
3. Cât durează drumeția până la Babele?
4. Ce alte atracții turistice se află în apropiere de Babele?

Answers

1. Babele se află în Munții Bucegi din apropierea orașului Bușteni.
2. Formațiunea stâncoasă specifică Babele arată ca niște capete de bătrâni.
3. Drumeția până la Babele durează aproximativ 2-3 ore.
4. În apropiere de Babele se află Peștera Ialomiței, una dintre cele mai mari peșteri din România.

Text Twenty Three

———

Read the following Romanian comprehension text carefully.

Then answer the questions using the information provided in the text.

Try to answer in full sentences and pay attention to your spelling and grammar.

Once you have answered all the questions, check your answers with the suggested answers.

<u>Cumpărături în piață</u>

Una dintre activitățile preferate ale multor români este să meargă la piață pentru a cumpăra alimente proaspete. În piață veți găsi o varietate de produse, de la fructe și legume la carne, brânză și ouă.

Atunci când mergeți la piață, este important să verificați prețurile și să negociați cu vânzătorii pentru a obține cele mai bune oferte. În plus, asigurați-vă că verificați calitatea produselor pe care le cumpărați, pentru a fi siguri că sunt proaspete și sănătoase.

Dacă sunteți în căutarea unor produse tradiționale românești, cum ar fi slănina, cârnații sau brânza de burduf, piața este locul perfect pentru a le găsi.

Questions

1. Ce poți cumpăra în piață?
2. Ce ar trebui să verificați atunci când mergeți la piață?
3. Ce produse tradiționale românești poți găsi în piață?

Answers

1. În piață poți cumpăra alimente proaspete, cum ar fi fructe, legume, carne, brânză și ouă.
2. Atunci când mergeți la piață, ar trebui să verificați prețurile și să negociați cu vânzătorii pentru a obține cele mai bune oferte. De asemenea, verificați calitatea produselor pe care le cumpărați.
3. În piață poți găsi produse tradiționale românești, cum ar fi slănina, cârnații sau brânza de burduf.

Text Twenty Four

———

Read the following Romanian comprehension text carefully.

Then answer the questions using the information provided in the text.

Try to answer in full sentences and pay attention to your spelling and grammar.

Once you have answered all the questions, check your answers with the suggested answers.

<u>Descoperă fluviul Dunărea</u>

Fluviul Dunărea este unul dintre cele mai mari râuri din Europa şi este cunoscut pentru frumuseţea şi importanţa sa istorică şi culturală. Dunărea izvorăşte din Munţii Pădurea Neagră din Germania şi străbate ţări precum Austria, Slovacia, Ungaria, Serbia şi România înainte de a se vărsa în Marea Neagră.

Fluviul Dunărea este o sursă importantă de apă şi energie hidroelectrică, iar delta Dunării, situată în România, este o zonă de biodiversitate unică, declarată patrimoniu mondial UNESCO.

De asemenea, Dunărea este o importantă cale de navigaţie, iar oraşe precum Viena, Budapesta şi Belgrad se află pe malurile sale.

Questions

1. Ce este fluviul Dunărea şi de unde izvorăşte?
2. Prin ce ţări trece fluviul Dunărea înainte de a se vărsa în Marea Neagră?
3. Ce este delta Dunării şi unde se află?
4. Ce oraşe se află pe malurile Dunării?

Answers

1. Fluviul Dunărea este unul dintre cele mai mari râuri din Europa şi izvorăşte din Munţii Pădurea Neagră din Germania.
2. Fluviul Dunărea trece prin Austria, Slovacia, Ungaria, Serbia şi România înainte de a se vărsa în Marea Neagră.
3. Delta Dunării este o zonă de biodiversitate unică, situată în România şi declarată patrimoniu mondial UNESCO.
4. Oraşele Viena, Budapesta şi Belgrad se află pe malurile Dunării.

Text Twenty Five

———

Read the following Romanian comprehension text carefully.

Then answer the questions using the information provided in the text.

Try to answer in full sentences and pay attention to your spelling and grammar.

Once you have answered all the questions, check your answers with the suggested answers.

Energia regenerabilă

Energia regenerabilă este o formă de energie care poate fi regenerată și folosită în mod continuu, fără a se epuiza resursele naturale. Aceasta include energie solară, energie eoliană, energie hidroelectrică și multe altele.

Energia solară este generată prin captarea razelor solare și transformarea lor în energie electrică. Energia eoliană este generată prin utilizarea vântului pentru a roti turbinele și a produce energie electrică. Energiea hidroelectrică este generată prin utilizarea curentului de apă pentru a roti turbinele și a produce energie electrică.

Utilizarea energiei regenerabile are multe beneficii, inclusiv reducerea emisiilor de gaze cu efect de seră și a poluării aerului, reducerea dependenței de combustibili fosili și creșterea durabilității resurselor naturale.

Questions

1. Ce este energia regenerabilă?
2. Ce forme de energie regenerabilă există?
3. Cum se produce energia solară?
4. Cum se produce energia eoliană?
5. Cum se produce energia hidroelectrică?
6. Care sunt beneficiile utilizării energiei regenerabile?

Answers

1. Energia regenerabilă este o formă de energie care poate fi regenerată și folosită în mod continuu, fără a se epuiza resursele naturale.
2. Formele de energie regenerabilă includ energia solară, energia eoliană, energia hidroelectrică și multe altele.
3. Energia solară este generată prin captarea razelor solare și transformarea lor în energie electrică.
4. Energia eoliană este generată prin utilizarea vântului pentru a roti turbinele și a produce energie electrică.
5. Energiea hidroelectrică este generată prin utilizarea curentului de apă pentru a roti turbinele și a produce energie electrică.
6. Beneficiile utilizării energiei regenerabile includ reducerea emisiilor de gaze cu efect de seră și a poluării aerului, reducerea dependenței de combustibili fosili și creșterea durabilității resurselor naturale.

Text Twenty Six

___

Read the following Romanian comprehension text carefully.

Then answer the questions using the information provided in the text.

Try to answer in full sentences and pay attention to your spelling and grammar.

Once you have answered all the questions, check your answers with the suggested answers.

<u>Regele Carol I - Povestea unui Mare Monarh</u>

Regele Carol I a fost unul dintre cei mai importanți conducători ai României și este cunoscut pentru contribuțiile sale la modernizarea și dezvoltarea țării.

S-a născut la 20 aprilie 1839 în Germania și a devenit rege al României în 1866, după ce a fost ales de adunarea constituțională. A condus țara timp de 48 de ani, până la moartea sa în 1914.

Carol I a făcut multe reforme importante în timpul domniei sale, inclusiv modernizarea armatei și a sistemului de educație. De asemenea, a fost responsabil pentru construirea multor clădiri importante în București, inclusiv Ateneul Român și Palatul de Justiție.

În timpul domniei sale, România a devenit un regat independent și a dobândit recunoașterea internațională.

Questions

1. Cine a fost Regele Carol I?
2. Când a devenit rege al României?
3. Ce reforme importante a făcut Carol I?
4. Ce clădiri importante a construit Carol I în București?
5. Ce s-a întâmplat cu România în timpul domniei sale?

Answers

1. Regele Carol I a fost un mare monarh care a condus România timp de 48 de ani.
2. Carol I a devenit rege al României în 1866.
3. Carol I a făcut reforme importante în armată și educație.
4. Carol I a construit Ateneul Român și Palatul de Justiție în București.
5. România a devenit un regat independent și a dobândit recunoașterea internațională în timpul domniei lui Carol I.

Text Twenty Seven

———

Read the following Romanian comprehension text carefully.

Then answer the questions using the information provided in the text.

Try to answer in full sentences and pay attention to your spelling and grammar.

Once you have answered all the questions, check your answers with the suggested answers.

<u>Vremea de astăzi</u>

Astăzi, vremea este însorită şi caldă, cu temperaturi ridicate şi cer senin. Este perfectă pentru a ieşi afară şi a te bucura de soare.

Este important să te asiguri că eşti protejat împotriva razelor UV, aşa că poartă o pălărie şi aplică o cremă de protecţie solară.

Este posibil să se simtă o uşoară briză, aşa că asigură-te că eşti pregătit cu un pulover sau o jachetă uşoară în cazul în care vântul devine mai puternic.

În general, vremea este perfectă pentru a petrece timpul afară şi pentru a te bucura de frumuseţea naturii.

Questions

1. Cum este vremea astăzi?
2. Ce temperaturi sunt înregistrate astăzi?
3. Este cerul înnorat sau senin?
4. Ce ar trebui să faci pentru a te proteja împotriva razelor UV?
5. Există vânt astăzi?

Answers

1. Astăzi este o zi însorită.
2. Temperaturile sunt ridicate astăzi.
3. Cerul este senin astăzi.
4. Ar trebui să porți o pălărie și să aplici o cremă de protecție solară.
5. Este posibil să se simtă o ușoară briză astăzi.

Text Twenty Eight

———

Read the following Romanian comprehension text carefully.

Then answer the questions using the information provided in the text.

Try to answer in full sentences and pay attention to your spelling and grammar.

Once you have answered all the questions, check your answers with the suggested answers.

Urşii bruni din România

România este una dintre ţările europene care găzduieşte o populaţie mare de urşi bruni. Aceşti urşi sunt animale frumoase şi fascinante, dar trebuie tratate cu precauţie.

Urşii bruni pot fi găsiţi în pădurile din Munţii Carpaţi şi în alte regiuni montane din România. Aceste animale pot ajunge la o greutate de până la 300 de kilograme şi se hrănesc cu fructe, legume, peşte şi alte animale.

Este important să se aibă grijă în preajma urşilor, deoarece aceştia pot fi periculoşi dacă se simt ameninţaţi. De asemenea, este important să nu se hrănească urşii şi să nu li se ofere mâncare.

Questions

1. Unde pot fi găsiți urșii bruni în România?
2. Care este greutatea maximă pe care o pot atinge urșii bruni?
3. Ce mănâncă urșii bruni?
4. De ce este important să se aibă grijă în preajma urșilor?
5. Este recomandat să hrăniți urșii bruni?

Answers

1. Urșii bruni pot fi găsiți în pădurile din Munții Carpați și în alte regiuni montane din România.
2. Urșii bruni pot ajunge la o greutate de până la 300 de kilograme.
3. Urșii bruni se hrănesc cu fructe, legume, pește și alte animale.
4. Este important să se aibă grijă în preajma urșilor deoarece aceștia pot fi periculoși dacă se simt amenințați.
5. Nu este recomandat să hrăniți urșii bruni și să li se ofere mâncare.

Text Twenty Nine

———

Read the following Romanian comprehension text carefully.

Then answer the questions using the information provided in the text.

Try to answer in full sentences and pay attention to your spelling and grammar.

Once you have answered all the questions, check your answers with the suggested answers.

Învaţă despre tradiţiile româneşti de Paşte

Paştele este una dintre cele mai importante sărbători din România şi este sărbătorită în mod tradiţional cu mese bogate, ouă roşii şi obiceiuri speciale.

Unul dintre obiceiurile de Paşte este vopsirea ouălor în culori vibrante, inclusiv roşu, albastru şi verde. Aceste ouă sunt numite ouă roşii şi sunt oferite rudelor şi prietenilor ca simbol al prieteniei şi al bunăstării.

O altă tradiţie este ciocnitul ouălor, unde două persoane îşi ciocnesc ouăle roşii, iar cel ale cărui ou se sparge trebuie să îl ofere celuilalt oul său.

În ziua de Paşte, românii merg la biserică şi aprind lumânări şi candele. De asemenea, se serveşte masa de Paşte, care constă în mod tradiţional din friptură de miel, sarmale şi cozonac.

Questions

1. Ce obiceiuri sunt asociate cu Paştele în România?
2. Ce sunt ouăle roşii şi de ce sunt importante?
3. Ce este ciocnitul ouălor?
4. Ce se întâmplă în ziua de Paşte în România?
5. Ce se serveşte în mod tradiţional la masa de Paşte?

Answers

1. În România, obiceiurile de Paşte includ vopsirea ouălor, ciocnitul ouălor, mersul la biserică şi servirea mesei de Paşte.
2. Ouale roşii sunt ouă vopsite în culori vibrante, oferite rudelor şi prietenilor ca simbol al prieteniei şi al bunăstării.
3. Ciocnitul ouălor este un joc tradiţional de Paşte, unde două persoane îşi ciocnesc ouăle roşii, iar cel ale cărui ou se sparge trebuie să îl ofere celuilalt oul său.
4. În ziua de Paşte, românii merg la biserică, aprind lumânări şi candele şi servesc masa de Paşte.
5. La masa de Paşte se serveşte în mod tradiţional friptură de miel, sarmale şi cozonac.

Text Thirty

Read the following Romanian comprehension text carefully.

Then answer the questions using the information provided in the text.

Try to answer in full sentences and pay attention to your spelling and grammar.

Once you have answered all the questions, check your answers with the suggested answers.

Descoperă Tuica - Tradiţionala Băutură Românească

Tuica este o băutură tradiţională românească făcută din fructe, cel mai adesea din prune sau mere. Este o băutură foarte populară în România şi este asociată cu multe sărbători şi tradiţii.

Procesul de fabricare a tuicii începe prin coacerea fructelor, apoi acestea sunt măcinate şi fermentate. După fermentare, amestecul este distilat şi tuica este obţinută.

Tuica este de obicei servită ca un aperitiv şi poate fi consumată în diverse ocazii, precum nunţi, botezuri sau sărbători tradiţionale.

Questions

1. Ce este tuica?
2. Din ce fructe este de obicei făcută tuica?
3. Cum se face tuica?
4. Când este de obicei servită tuica?

Answers

1. Tuica este o băutură tradițională românească făcută din fructe.
2. Tuica este de obicei făcută din prune sau mere.
3. Tuica este fabricată prin coacerea fructelor, apoi acestea sunt măcinate și fermentate. După fermentare, amestecul este distilat și tuica este obținută.
4. Tuica este de obicei servită ca un aperitiv și poate fi consumată în diverse ocazii, precum nunți, botezuri sau sărbători tradiționale.

Ingram Content Group UK Ltd.
Milton Keynes UK
UKHW020834210723
425555UK00014B/543